Cá háit ar Domhan?

Is iad Antartaice agus an tArtach an dá áit is fuaire ar domhan. Gaotha feanntacha, leac oighir, geimhreadh fada gan ghrian. Sin mar a bhíonn an aimsir i gcónaí sa dá áit.

Imeall an Domhain

※

Is iad Antartaice agus an tArtach an dá ait is sioctha ar
domhan: is ag an Phol Thuaidh atá an tArtach agus ag
an Phol Theas atá Antartaice. Tá an chuma ar an scéal gurb
ionann an dá áit. Tá siad ag dhá cheann an phláinéid. Is fíor
sin agus is fíor go bhfuil cuid mhór cosúlachtaí idir an dá áit.
Ach beidh iontas ort a chluinstin go bhfuil difríochtaí móra
idir an dá áit.

DIFRÍOCHTAÍ

Difear amháin eatarthu gur uisce é an
tArtach a bhfuil talamh thart air
agus gur talamh í Antartaice a
bhfuil uisce thart uirthi!
Difear eile eatarthu na
hainmhithe a mhaireann
iontu. Tá cuid de sin le
feiceáil ar an phictiúr
thall.

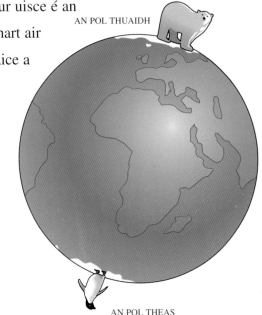

AN POL THUAIDH

AN POL THEAS

Difear tábhachtach amháin eile, nach bhfuil daoine ina gcónaí in Antartaice. Ach tá daoine ar a dtugtar na h**Ionúitigh** ina gcónaí sna ceantair Artacha in Alasca, i gCeanada agus sa Ghraonlainn. Ba ghnách leis na daoine seo bia a fháil dóibh féin ón fharraige nó ón réinfhia, ón charabú nó ón mhús.

Masc carabú de chuid na nIonúiteach

Cé go bhfuil na háiteanna seo sioctha, reoite agus fuar, tá cuid mhór le foghlaim iontu. Léigh leat faoi Antartaice agus faoin Artach.

Is fásach sneachta agus oighir í Antartaice

5

Antartaice

❄

Ar chuala tú iomrá ar an Phol Theas riamh? Anois, ní poll atá i gceist ach pol le 'l' amháin. Is é an ceann theas den domhan é. Tá sé suite i lár Antartaice. Tá sé chomh doiligh sin dul a fhad le hAntartaice gur ghlac sé na mílte bliain ar dhaoine í a bhaint amach.

Is deas leis an piongainí oighear agus sneachta Antartaice

Is ilchríoch iontach mór í Antartaice!

Tá Antartaice millteanach millteanach fuar, iontach gaofar agus iontach tirim.

AN ILCHRÍOCH FHUAR

An raibh a fhios agat gurb í Antartaice an cúigiú hilchríoch is mó ar domhan? Sa samhradh tá Antartaice dhá uair níos mó ná an Astráil agus uair go leith níos mó ná na Stáit Aontaithe. Sa gheimhreadh bíonn a oiread sin oighir ar Antartaice go mbíonn sí dhá uair níos mó arís! Chóir a bheith go bhfuil iomlán Antartaice clúdaithe le **hoighearchaidhp** iontach tiubh. Tá tiús beagnach 5 chiliméadar (3.1 míle) inti in áiteanna. Tá an chuid is mó de na sléibhte agus cuid mhór den talamh íseal in Antartaice faoi chlúdach ollmhór oighir.

7

GAOTH	TEOCHT AN AEIR (CELSIUS)													
CALM	2	1	-4	-7	-9	-12	-15	-18	-21	-23	-26	-29	-32	-34
8 ksu	1	-3	-6	-9	-11	-14	-17	-21	-24	-26	-29	-32	-35	-37
16 ksu	-6	-9	-13	-17	-19	-23	-26	-30	-33	-35	-39	-43	-47	-50
24 ksu	-9	-12	-17	-21	-24	-28	-31	-36	-40	-43	-46	-51	-54	-57
32 ksu	-11	-16	-20	-23	-27	-31	-36	-40	-43	-47	-51	-56	-60	-63
40 ksu	-14	-18	-22	-26	-30	-34	-38	-42	-47	-50	-55	-59	-64	-67
48 ksu	-15	-19	-24	-28	-32	-36	-40	-45	-49	-53	-57	-61	-66	-70
56 ksu	-16	-20	-25	-29	-33	-37	-42	-47	-51	-55	-58	-64	-68	-72
64 ksu	-17	-21	-26	-30	-34	-38	-43	-48	-52	-56	-60	-66	-70	-74

Cad é a thaispeánann an chairt seo? Éiríonn teocht an aeir níos fuaire ag brath ar luas na gaoithe. Tarlaíonn sé seo mar, nuair a shéideann an ghaoth, bíonn níos mó aeir ag séideadh ar do chraiceann agus baineann sé an teas de. (Tá contúirt ag baint leis an chuid a bhfuil dath gorm uirthi.)

Fáth amháin a bhfuil sé chomh fuar sin in Antartaice go bhfrithchaitheann an sneachta agus an t-oighear 90% de sholas na gréine. Fáth eile a bhfuil sé chomh fuar sin ná **fachtóir ghoimh na gaoithe**. Tá Antartaice ar na háiteanna is gaofaire ar domhan. In amanna, bíonn an ghaoth ag séideadh ar luas 300 ciliméadar (185 míle) san uair.

Ní hí an teocht 'fhíor' í goimh na gaoithe ach déanann sí aimsir fhuar i bhfad níos fuaire!

Is é -89°C an teocht thomhaiste is fuaire riamh in Antartaice. Tharla sé sin ar 21 Iúil, 1983. De ghnáth, i rith an gheimhridh, bíonn sé idir -20°C agus -30°C.

Tugann cuid de na heolaithe **fásach polach** ar Antartaice. Níl crann ar bith ann, ná plandaí a dtagann bláthanna orthu, agus níl ann ach abhainn amhain, a bhfuil an t-ainm an Onyx uirthi.

Déanann an ghaoth agus an fuacht cruthanna galánta san oighear.

An tArtach

❄

Is é an Pol Thuaidh an áit is faide ó thuaidh ar domhan. Tá sé suite ar an Aigéan Artach. Thart ar an Phol Thuaidh bíonn an fharraige i gcónaí reoite.

OIGHEAR GACH ÁIT

Thart ar an Aigéan Artach tá an talamh ar a dtugaimid an Réigiún Artach. Ar an aigéan féin tá leac oighir iontach tiubh. Go minic, briseann píosaí móra oighir ón leac. Tugaimid cnoic oighir orthu seo. Is ón Artach a tháinig an **cnoc oighir** a chuir an *Titanic* go tóin na farraige.

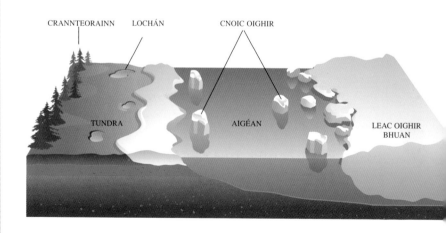

CRANNTEORAINN   LOCHÁN   CNOIC OIGHIR

TUNDRA   AIGÉAN   LEAC OIGHIR BHUAN

Tugaimid tundra ar an talamh atá thart ar an leac oighir. Is lochanna agus talamh bog fliuch é an tundra agus bíonn sé reoite sa gheimhreadh. Ní fhásann crainn ar an tundra mar tá an geimhreadh rófhuar. Tugaimid Crannteorainn ar an áit a stadann na crainn. Sin an áit a dtosaíonn an tundra agus an tArtach.

Sa bhliain 1912, chuir cnoc oighir an Titanic go tóin na farraige.

Tá cuid de thalamh an Artaigh síorshioctha. Bíonn sé go hiomlán reoite sa gheimhreadh ach leánn sé rud beag sa samhradh. Bíonn sé iontach bog agus bíonn lochanna anseo is ansiúd. Fásann **caonach**, **léicean** agus corrphlanda eile air.

MUINTIR AN ARTAIGH

Tá daoine ina gcónaí san Artach le blianta fada, ní hionann agus Antartaice. Creideann cuid de na heolaithe gur tháinig siad ón Eoraip agus ón Áise nuair a bhí an **Oighearaois** ann agus gur seo na chéad daoine a chuaigh a chónaí i Meiriceá Thuaidh.

Tá mála ar a droim ag an bhean Ionúiteach seo lena leanbh a iompar.

Tá na hIonúitigh ina gcónaí ar an tundra Artach leis na mílte bliain. Tá siad ina gcónaí in Alasca (SAM), sa Ghraonlainn agus i gCeanada. Is **fánaithe** iad cuid mhór de na hIonúitigh agus leanann siad tréada carabúnna agus réinfhianna. Fanann cuid eile in aice le huisce agus bíonn siad ag seilg rónta, míolta móra, béir bhána agus iasc.

Ba ghnách leis na hIonúitigh fionnadh agus **seithe** a chur orthu lena gcosaint féin ar an fhuacht, ioglúnna a dhéanamh le cónaí iontu agus carr sleamhnáin a úsáid le taisteal thar an sneachta.

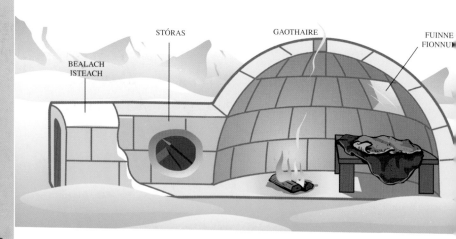

STÓRAS

GAOTHAIRE

FUINNE
FIONNU

BEALACH
ISTEACH

As sneachta a rinneadh iad ach choinnigh ioglúnna na daoine te teolaí.

IONÚITIGH AN LAE INNIU

Sa lá atá inniu ann baineann na hIonúitigh úsáid as teicneolaíocht nua-aoiseach lena saol a dhéanamh níos compordaí. Bíonn cuid acu beo mar a bhí na glúine rompu ach anois tá an **mótar sneachta** ag glacadh áit **carr sleamhnáin madaí** agus tá ábhar de dhéantús an duine ag glacadh áit an fhionnaidh agus na seithe.

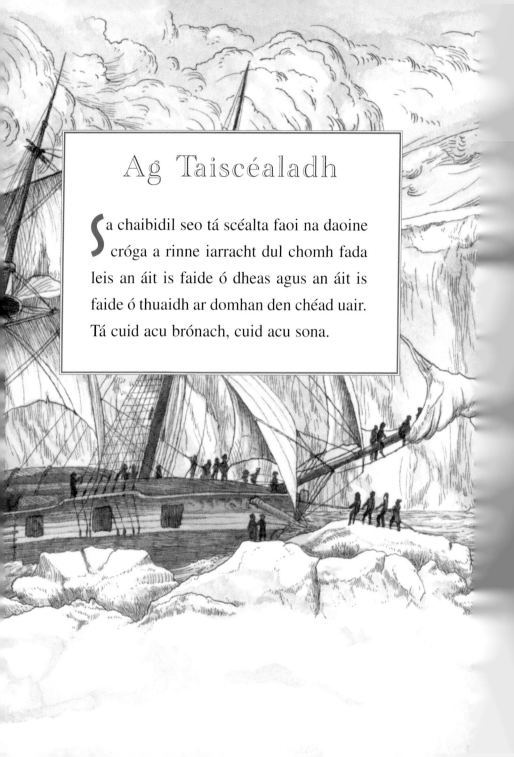

Ag Taiscéaladh

Sa chaibidil seo tá scéalta faoi na daoine cróga a rinne iarracht dul chomh fada leis an áit is faide ó dheas agus an áit is faide ó thuaidh ar domhan den chéad uair. Tá cuid acu brónach, cuid acu sona.

Ag Taiscéaladh in Antartaice

———— ❄ ————

I bhfad i bhfad ó shin, thug daoine an t-ainm Laidine *Australis Terra Incognita* ar Antartaice. Ciallaíonn sé sin 'an tír ó dheas nach bhfuil eolas againn uirthi'. "Tá an Pol Thuaidh ann," a deireadh siad, "caithfidh sé go bhfuil an Pol Theas ann fosta." Thosaigh cuid mhór **taiscéalaithe** Eorpacha a sheoladh ó dheas ina gcuid long adhmaid ag iarraidh teacht ar Antartaice agus ar an Phol Theas. Idir 1772 agus 1775, chuardaigh captaen Sasanach, darbh ainm James Cook, Antartaice ach ní raibh a chuid long ábalta dul tríd na cnoic oighir agus tríd an fharraige reoite.

DIALANNA CAPTAEIN

Choinnigh James Cook dialanna faoina chuid turas agus scríobh sé cuid mhór faoi na rónta agus faoi na míolta móra a chonaic sé. Nuair a chuala sealgairí faoi seo, thosaigh siad a dhul ó dheas ar lorg na n-ainmhithe seo.

Chuir an Captaen James Cook síos ar a chuid eachtraí i ndialanna mar seo.

16

Ba dheacair long a thabhairt tríd oighear mar seo!

Chonaic daoine Antartaice den chéad uair sa bhliain 1820.
Fuair taiscéalaithe amach gur **ilchríoch** a bhí ann. Duine
darbh ainm Henryk Bull an chéad duine a shiúil ar ilchríoch
Antartaice. Ach tháinig cuid mhór daoine ina dhiaidh agus
fuair siad i bhfad níos mó eolais. Thosaigh siad a dhul níos
faide agus níos faide isteach sa tír. Bhí siad ag iarraidh teacht
ar an Phol Theas!

Ag an Phol Theas

---- ❄ ----

An taiscéalaí mór as an Iorua, Roald Amundsen (1872-1928) an chéad duine le dul chomh fada leis an Phol Theas. Thosaigh sé ar a thuras ar 20 Deireadh Fómhair 1911. Bhí neart bia agus trealaimh leis. Bhí foireann de chúigear ann agus thug siad 52 madadh leo leis na carranna sleamhnáin a tharraingt. Ar 14 Nollaig 1911, bhain Amundsen agus a fhoireann an Pol Theas amach.

Ar 1 Samhain 1911, thosaigh an taiscéalaí Briotanach Robert Scott (1868-1912) agus a fhoireann ar a dturas chuig an

Roald Amundsen agus a fhoireann ag cur bhratach na hIorua ag an Phol Theas.

Phol Theas. Cé go raibh an aimsir **creathnach fuar** agus millteanach gaofar, bhain Scott agus a fhoireann an Pol Theas amach ar 17 Eanáir 1912.

TRAGÓID

Smaoinigh ar an díomá a bhí ar Scott agus ar a fhoireann nuair a bhain siad an Pol Theas amach agus go bhfaca siad bratach na hIorua ansin rompu.

Robert Scott ag úsáid a theileascóip ar a thuras go dtí an Pol Theas.

Ar a mbealach ar ais, d'éirigh an aimsir i bhfad níos measa. Ní raibh bia ar bith fágtha acu agus fuair beirt acu bás. Ar deireadh, ar 29 Márta, 1912 agus iad 18 gciliméadar (11 mhíle) ó stóras bia, fuair Scott agus an duine deireanach den fhoireann bás le linn stoirm shneachta.

Bhí deireadh tubaisteach le turas Scott ach spreag sé daoine eile le dul go hAntartaice.

Ag Taiscéaladh
san Artach

❄

Sa seachtú haois déag, bhí cuid mhór daoine saibhre ón Eoraip ag iarraidh bealach níos gasta chun na hÁise a aimsiú. Chreid siad go raibh Bealach Siar ó Thuaidh ann a thabharfadh ón Eoraip go dtí an tSín agus an India iad.

An taiscéalaí Briotanach John Franklin agus a bhád lán daoine, madaí agus bia ag cuardach an 'Bealach Siar ó Thuaidh'.

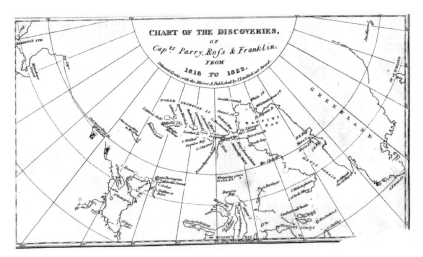

Seo seanléarscáil a thaispeánann iarrachtaí triúr taiscéalaithe darbh ainm Sir William Edward Parry, Sir John Franklin agus John Ross teacht ar an Bhealach Siar ó Thuaidh.

AG TEACHT AR AN BHEALACH

Ní thiocfadh leis na chéad taiscéalaithe a mbealach a dhéanamh tríd an oighear. Rinne Briotanaigh éagsúla, Henry Hudson, Sir William Edward Parry, Sir John Franklin agus John Ross iarracht teacht ar an Bhealach Siar ó Thuaidh ach **theip orthu** uilig. Ach de réir a chéile, bhí daoine ag cur eolais ar na farraigí a bhí ar an taobh ó thuaidh de Cheanada.

Faoi dheireadh, sa bhliain 1906, ba é an taiscéalaí Ioruach, Roald Amundsen, an chéad duine a thug long tríd an Bhealach Siar ó Thuaidh.

Ag an Phol Thuaidh

❅

Go luath san fhichiú haois, bhí cuid mhór daoine ag iarraidh teacht ar an Phol Thuaidh. Ar chuala tú duine ar bith ag rá, "Bíonn an tríú huair sona"? Sin mar a bhí don Aimiréal Robert Peary, Meiriceánach darbh ainm Matthew Henson agus ceathrar taiscéalaithe Ionúiteacha - Úta, Egiongua, Saígliú agus Úicéa – a bhain an Pol Thuaidh amach ar an tríú hiarracht.

Bhí Peary agus Henson eolach ar shaol agus ar theanga na nIonúiteach ach theip ar an chéad turas in 1902. Ansin, in 1905, theip ar an dara hiarracht. Sa deireadh thiar (nó

thuaidh), ar 6 Aibreán 1909, bhain Peary agus a fhoireann an Pol Thuaidh amach. Tháinig **dó seaca** ar Peary agus chaill sé ocht ladhar. Ach d'éirigh leis féin agus a fhoireann dul chomh fada ó thuaidh agus is féidir!

An tAimiréal Robert Peary gléasta i gcraicne ainmhithe lena choinneáil te. Gan na craicne ní thiocfadh leis an turas a dhéanamh.

An tAimiréal Robert Peary agus a fhoireann ag an Phol Thuaidh. Bíonn an tríú huair sona!

Na hAinmhithe

Is deacair a shamhlú go dtig le rud ar bith bheith beo san fhuacht agus san oighear in Antartaice agus san Artach. Ach maireann cuid mhór ainmhithe éagsúla sa dá áit.

Na hAinmhithe
in Antartaice

---- ❄ ----

Ní mhaireann mórán ainmhithe in Antartaice an bhliain ar fad ach déanann cuid mhór ainmhithe imirce chuici sa samhradh.

PIONGAINÍ

Maireann dhá chineál piongaine in Antartaice; an phiongain impireach agus piongain Adélie. Nuair a bhíonn an chuid is mó de na hainmhithe amuigh ar an fharraige mhór, tagann na piongainí seo isteach sa tír agus beireann na piongainí baineanna a gcuid uibheacha.

Is beag spás a bhíonn ar fáil nuair a thagann na piongainí óga amach as an ubh.

Téann na piongainí eile amach san fharraige agus beireann siad a gcuid uibheacha ar na hoileáin atá ar an taobh ó thuaidh den ilchríoch.

Is í an phiongain impireach an phiongain is mó den iomlán. Bíonn siad 1.2 méadar (4 throigh) ar airde. Bíonn meáchan 30 cileagram iontu. San fhómhar, beireann an phiongain bhaineann ubh agus téann sí ar ais chun na farraige. Déanann an phiongain fhireann **an ubh a ghoradh**. Ar feadh dhá mhí, coinníonn an phiongain fhireann an ubh ar bharr a chos lena coinneáil te. Faoin am a dtagann an phiongain óg amach as an ubh, bíonn leath de mheáchan a choirp caillte ag daidí. Tagann an mháthair ar ais ón fharraige leis an phiongain óg a bheathú agus, sa deireadh, bíonn seans ag daidí greim a fháil le hithe!

ÉIN EILE

Sa phictiúr thall tá an mhurúchaill. Maireann an t-éan seo in Éirinn fosta! In Antartaice bíonn sí féin agus cuid mhór éan eile le feiceáil gach áit ag ithe na n-iasc atá go flúirseach san fharraige.

Tumann an mhurúchaill faoin uisce le greim a fháil ar na héisc.

Bíonn coileán róin clúdaithe le fionnadh clúmhach nuair a thagann sé ar an saol.

RÓNTA

Maireann cuid mhór rónta thart faoi Antartaice ach ní chaitheann mórán acu a saol ar fad ann. Itheann bunús na rónta éisc bheaga agus ainmhithe eile ar a dtugaimid **máthair shúigh** agus **crill**.

Ach tá rón eile ann ar a dtugaimid an rón liopardach agus is maith leisean bia de shórt eile ar fad. Is maith leisean na piongainí agus rónta eile a ithe! Tugaimid an rón liopardach air cionn is go bhfuil spotaí air mar atá ar liopard. Ach chomh maith leis sin, tá sé iontach maith ag seilg!

MÍOLTA MÓRA

Is mamaigh iad na míolta móra. Tá saill ina gcorp ar a dtugaimid **blonag** a choinníonn te iad i bhfarraigí fuara Antartaice. Déanann cuid mhór míolta móra imirce go hAntartaice sa samhradh. Seo ainmneacha cuid acu; an míol mór dronnach, an míol mór gorm, an droimeiteach beag, an míol mór bolgshrónach, agus míol mór eile ar a dtugaimid an chaisealóid.

Tá na cnámha i lapa míl mhóir iontach cosúil leis na cnámha i lámh duine.

In amanna, léimeann an míol mór dronnach amach as an fharraige!

29

Ainmhithe an Artaigh

❄

Nuair a smaoinímid ar ainmhithe san Artach is dócha go smaoinímid ar dtús ar an bhéar bhán, ach tá go leor eile ann!

BÉIR BHÁNA

Is é an béar bán an t-aon ainmhí amháin a dtig leis bheith beo ar phacoighear an Artaigh. Bíonn siad suas le 3 mhéadar ar fad agus bíonn meáchan suas le 450 cileagram iontu. Béar mór gan bhréag! Bíonn an béar baineann i bhfad níos lú ná an béar fireann. Is sealgairí fíochmhara iad agus tá snámh iontach maith acu. Bíonn sraith thiubh saille acu lena gcoinneáil te.

Fanann na coileáin cóngarach dá máthair agus iad ag foghlaim scileanna na beatha.

RÓNTA

Maireann cuid mhór rónta éagsúla san Artach agus saol contúirteach go leor a bhíonn acu. Cad chuige? Is iad na rónta an bia is fearr leis na béir bhána. Is fearr leo rón beag ar a dtugaimid an rón fáinneach. Seo ainmneacha cuid eile acu: an rón cochallach, an rón féasógach, an rón eilifintiúil. An dtig leat a thomhas cad chuige a bhfuil na hainmneacha sin orthu?

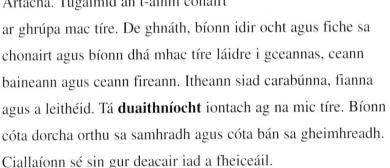

MIC TÍRE SAN ARTACH

Is sealgairí iontacha iad na mic tíre Artacha. Tugaimid an t-ainm conairt ar ghrúpa mac tíre. De ghnáth, bíonn idir ocht agus fiche sa chonairt agus bíonn dhá mhac tíre láidre i gceannas, ceann baineann agus ceann fireann. Itheann siad carabúnna, fianna agus a leithéid. Tá **duaithníocht** iontach ag na mic tíre. Bíonn cóta dorcha orthu sa samhradh agus cóta bán sa gheimhreadh. Ciallaíonn sé sin gur deacair iad a fheiceáil.

Is í an chráin dhubh an deilf is mó ar domhan.

MÍOLTA MÓRA AGUS DEILFEANNA

Itheann míolta móra **planctón** agus crill. Caitheann cuid mhór míolta móra an samhradh san Artach agus déanann siad imirce ó dheas sa gheimhreadh. Ach fanann cuid acu san Artach an bhliain ar fad. Maireann an chráin dhubh i bhfarraigí an Artaigh agus Antartaice. Ba ghnách leis na heolaithe iad a chur i measc na míolta móra ach deir siad anois gur deilfeanna iad.

ÉIN

Maireann cineálacha éagsúla éan san Artach. Seo ainmneacha cuid acu: iolar, lacha, fiach, tarmachan. Itheann cuid acu na héisc agus na mamaigh bheaga a mhaireann ar an tundra.

ROSUAILT

Maireann an rosualt mór ramhar san Artach. Tá **starrfhiacla** móra fada air agus meáchan 1 tonna ann.

Itheann sé **sliogéisc** agus is snámhaí iontach maith é. Déanann sé imirce 3,000 ciliméadar ó thuaidh gach bliain. Is iad an béar bán, an chráin dhubh agus an duine na naimhde atá aige.

AINMHITHE EILE

Maireann an carabú, réinfhia agus mús san Artach i rith an tsamhraidh. Sa gheimhreadh déanann siad imirce ó dheas chuig áiteanna atá níos teo. Itheann siad plandaí de gach cineál. Maireann mamaigh bheaga – an sionnach, an giorria agus an t-iora san Artach fosta.

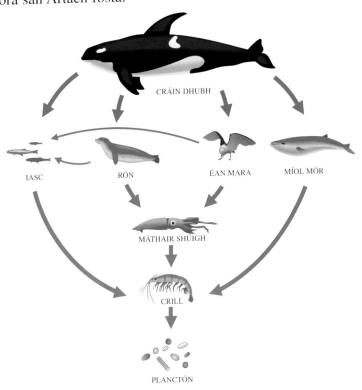

CRÁIN DHUBH

IASC   RÓN   ÉAN MARA   MÍOL MÓR

MÁTHAIR SHÚIGH

CRILL

PLANCTÓN

Taighde agus Caomhnú

B íonn cuid mhór daoine ag taiscéaladh agus ag déanamh taighde san Artach agus in Antartaice. Faigheann siad cuid mhór eolais faoi na háiteanna seo a chuidíonn linn iad a chaomhnú.

Taiscéaladh, Fadhbanna agus Caomhnú

———— ❉ ————

Tá an taiscéaladh agus an taighde ag dul ar aghaidh in Antartaice agus san Artach sa lá atá inniu ann, ach tá fadhbanna móra timpeallachta sa dá áit.

TAISCÉALADH AGUS TAIGHDE

Go mall sna 80í agus go luath sna 90í thosaigh cuid mhór eolaithe a dhul go hAntartaice le taighde a dhéanamh. D'úsáid siad **scíonna gaoth-thiomáinte** nó carranna sleamhnáin agus madaí le taisteal thar an sneachta agus an oighear.

Tá cuid mhór stáisiún eolaíochta in Antartaice anois ag cuid mhór tíortha éagsúla. Sna stáisiúin seo, bíonn eolaithe ag déanamh taighde ar **gheolaíocht**, ar an aimsir agus ar an **fhiadhúlra** agus ar gach cineál eolaíochta.

Caithfidh na taighdeoirí bheith cúramach nach dtiteann siad sna poill mhóra atá san oighear.

Is obair chontúirteach í an obair a bhíonn ar siúl in Antartaice.

POLL AG AN PHOL

Fuair na heolaithe amach go bhfuil poll sa **chiseal ózóin** os cionn an Phoil Theas.

Tá an ciseal ózóin mar **sciath chosanta** ar sholas na gréine. Mura raibh an ciseal ózóin ann bheadh solas agus teas na gréine róláidir agus dhéanfadh siad dochar don phláinéad. Is dócha gur chuala tú iomrá ar chlórafluaracarbóin nó CFCanna? Cad iad? Is ceimiceáin iad a bhriseann suas an sciath chosanta atá sa chiseal ózóin. Úsáidtear CFCanna i gcuisneoirí agus i d**trealamh aerchóirithe**, mar shampla.

Má thagann barraíocht **gathanna** contúirteacha gréine tríd, déanfaidh siad dochar do na plandaí agus do na hainmhithe in Antartaice. Shocraigh cuid mhór tíortha go stadfadh siad d'úsáid CFCanna sa bhliain 2000.

Nuair a dhóimid **breoslaí iontaise** scaoilimid cuid mhór dé-ocsaíd charbóin isteach san atmaisféar. Téann an dé-ocsaíd charbóin suas san aer agus 'ceapann' sí teas na gréine. Ní thig leis an aer te imeacht agus ardaíonn teocht an domhain. Tugaimid an **iarmhairt cheaptha teasa** air seo. Má théann téamh domhanda ar aghaidh mar atá leáfaidh an t-oighear san Artach agus in Antartaice agus ardóidh leibhéil na farraige. Ciallaíonn sé sin go mbeadh i bhfad níos mó **fionnuisce** san fharraige. Dhéanfadh sé sin cuid mhór dochair do na hainmhithe agus do na plandaí atá san fharraige. Níl duine ar bith róchinnte cad é an t-athrú a dhéanfadh téamh domhanda, ach tá gach duine ag iarraidh an fhadhb a réiteach nó is muidne, an cine daonna, is cúis leis an fhadhb.

CAOMHNÚ

Sa bhliain 1959, shínigh na tíortha seo an Conradh Antartach: an Airgintín, an Astráil, an Bheilg, an tSile, an tSeapáin, an Nua-Shéalainn, an tAontas Sóivéadach (an Rúis), an Ríocht Aontaithe agus Stáit Aontaithe Mheiriceá. Ar feadh tríocha bliain d'aontaigh na tíortha seo go mbeadh siad ag comhoibriú ar obair eolaíochta agus nach mbeadh pléascáin núicléacha ar bith in Antartaice.

Sa bhliain 1991, d'aontaigh 33 tír nach rachadh siad a chuardach ola ná mianraí in Antartaice go dtí 2041. I 1994 bhí an conradh sínithe ag 42 tír, Éire ina measc.

Is minic na huscaithe in úsáid san Artach

Tá contúirtí timpeallachta ann don Artach chomh maith. Is san Artach atá na háiteanna **iargúlta** is mó i dtuaisceart an domhain. Le blianta beaga anuas tá polasaithe cosanta oibrithe amach ag na hocht dtír Artacha. Sa bhliain 1991, chuir ceannairí na dtíortha seo agus na daoine atá ina gcónaí san Artach (na hIonúitigh) plean le chéile ar thug siad an t-ainm **Straitéis Chosanta Timpeallachta an Artaigh** air.

Ach sa bhliain 2007, chuir an Rúis bratach na tíre ar ghrinneall na farraige ag an Phol Thuaidh lena chur in iúl don domhan gur leosan an áit.

Cad é a Thig Leatsa a Dhéanamh?

———— ❄ ————

Tá Antartaice agus an tArtach i measc na n-áiteanna fiáine deireanacha ar domhan. Tá fadhbanna ag baint le gach áit atá fiáin. Is iad na fadhbanna is mó atá ag Antartaice agus ag an Artach an poll sa chiseal ózóin, an iarmhairt cheaptha teasa agus go bhfuil níos mó agus níos mó daoine ag teacht chucu agus ag déanamh taighde iontu. Tá ainmhithe agus daoine ann leis na mílte bliain agus tá contúirt ann go gcaillfear iad. Agus má imíonn Antartaice agus an tArtach thiocfadh leis sin damáiste a dhéanamh don chuid eile den phláinéad.

B'fhéidir go síleann tú nach dtig le duine amháin difear ar bith a dhéanamh do cheist mhór mar seo, ach thig leat! Bí cinnte go gcuidíonn do chairde agus do mhuintir leat agus inis dóibh faoi

na dóigheanna a dtig le gach duine difear a dhéanamh.

NÁ CEANNAIGH CFCanna

Bí cinnte nach gceannaíonn tú rudaí a bhfuil CFCanna iontu. Ba ghnách le comhlachtaí cannaí aerasóil a dhéanamh ina raibh CFCanna, ach nuair a thóg daoine raic faoi seo cuireadh deireadh leis. Mar sin de, is cruthú é sin go dtig le daoine difear a dhéanamh.

CUIR CRANN

Bíonn cuid mhór dé-ocsaíd charbóin de dhíth ar na crainn. Gach uair a chuireann tú crann, mar sin de, tá tú ag laghdú an mhéid dé-ocsaíd charbóin atá san atmaisféar, rud a chuidíonn leis an atmaisféar.

SCRÍOBH LITREACHA

Iarr ar do mhúinteoir nó ar dhuine fásta eile cuidiú leat seoltaí **ceannairí polaitiúla** a fháil. Scríobh chucu agus brúigh orthu dlíthe a dhéanamh le hAntartaice agus an tArtach a chosaint.

AMACH AS AN CHARR!

Úsáid do rothar, an bus, nó, nuair a bhíonn sé sábháilte, siúil a oiread agus is féidir. Más gá an carr a úsáid, déan **carr-roinnt** más féidir.

BÍ AG SCIMEÁIL

Má tá teacht agat ar ríomhaire, cuardaigh an tIdirlíon le cuid mhór eolais a bhailiú faoi Antartaice agus faoin Artach agus faoi na dóigheanna ar féidir iad a chosaint. Tá eagraíochtaí ann a bhfuil suim acu i gcaomhnú na n-áiteanna fiáine seo agus thiocfadh leat r-phost a chur chucu agus ceist a chur orthu cad é a thig leatsa, le do chairde agus le do mhuintir a dhéanamh leis an phláinéad álainn seo a chaomhnú!

Gluais

✳

Blonag: Saill atá faoi chraiceann míolta móra agus rónta a choinníonn te iad.

Breoslaí iontaise: Ábhar a dhóimid. Bíonn siad déanta as mionainmhithe agus as plandaí; gás agus gual, mar shampla.

Caomhnú: Coinneáil mar a bhí. Cosaint.

Caonach: Planda beag glas, nach dtagann bláth air, a fhásann in áiteanna taise.

Carr-roinnt: Daoine ag roinnt cairr nó cuid mhór paisinéirí bheith in aon charr amháin.

Carr sleamhnáin madaí: Cairt bheag a bhíonn á tarraingt ag madaí thar an sneachta.

Ceannairí polaitiúla: Taoisigh, baill tionóil, teachtaí Dála, príomh-airí srl.

Ciseal Ózóin: Sraith gáis a chosnaíonn an Domhan ar ghathanna contúirteacha na Gréine.

Cnoic oighir: Moll mór oighir ar snámh san fharraige. Briseann siad ar shiúl ó oighearshruthanna.

Crannteorainn: An áit a n-éiríonn sé rófhuar do na crainn bheith ag fás agus an áit a dtosaíonn an tundra.

Creathnach fuar: Iontach iontach fuar.

Crill: Ainmhí beag mara. Itheann na míolta móra iad.

Díomá: Nuair nach dtarlaíonn an rud a raibh tú ag dúil leis nó an rud ba mhaith leat, bíonn díomá ort.

Dó seaca: Gortú coirp, cionn is go raibh aimsir an-fhuar ann.

Duaithníocht: Bheith ábalta tú féin a dhéanamh dofheicthe nó deacair a fheiceáil.

Fachtóir ghoimh na gaoithe: Tomhas ar chomh fuar a mhothaíonn teocht an aeir nuair a bhíonn luas na gaoithe san áireamh.

Fánaithe: Daoine nach gcónaíonn in aon áit amháin ach a bhíonn i gcónaí ag bogadh. Cuid de na hIonúitigh, mar shampla.

Fiadhúlra: Ainmhithe fiáine.

Fionnuisce: Uisce nach bhfuil salann ar bith ann. Uisce atá in abhainn, mar shampla.

Geolaíocht: Eolaíocht a bhaineann le staidéar ar charraigeacha.

Go flúirseach: Le fáil gach áit.

Iargúlta: I bhfad ó na háiteanna ina bhfuil cuid mhór daoine.

(An) iarmhairt cheaptha teasa: Nuair a bhíonn barraíocht dé-ocsaíd charbóin agus gáis eile san atmaisféar bíonn barraíocht teasa 'ceaptha' san atmaisféar.

Ilchríoch: Píosa ollmhór talaimh. An Eoraip, an Áise agus Antartaice, mar shampla.

Imirce: Ag bogadh ó áit amháin go háit eile, go háirithe ar thuras mór fada.

Ionúitigh: Daoine a chónaíonn san Artach; in Alasca, i gCeanada agus sa Ghraonlainn. Tugaimid Eiscimigh orthu in amanna.

Léicean: Planda a fhásann ar charraig, ar chrainn agus ar bhallaí.

Máthair shúigh: Ainmhí mara. *Squid* atá uirthi i mBéarla.

Mianraí: Ábhar ar nós guail agus iarainn a thochailtear amach as an talamh.

Mótar sneachta: Carr beag a théann go gasta thar an sneachta.

Oighearaois: I bhfad ó shin, nuair a bhí cuid mhór den domhan clúdaithe le hoighear.

Pacoighear: Cuid mhór oighir iontach crua nach leánn ar chor ar bith.

Piongain óg a bheathú: Bia a thabhairt di.

Planctón: Ainmhithe agus plandaí beaga bídeacha a bhíonn san uisce.

Sciath chosanta: Má tá rud amháin ag coinneáil rud eile sábháilte deirtear gur sciath chosanta é.

Scíonna gaoth-thiomáinte: Scíonna a úsáideann an ghaoth le hiad a thiomáint.

Seithe: Craiceann ainmhithe a úsáideann daoine le héadaí a dhéanamh.

Sliogéisc: Ainmhithe beaga mara a bhfuil blaosc no sliogán thart orthu.

Starrfhiacla: Fiacla móra fada a ghobann amach as béal rosuailt agus eilifinte, mar shampla.

Straitéis Chosanta Timpeallachta an Artaigh: Plean atá ag cuid mhór tíortha leis an Artach a chosaint go cionn blianta fada.

Taighde: Staidéar mar a dhéanann eolaithe.

Taiscéalaithe: Daoine a théann chuig áiteanna nach ndeachaigh duine ar bith eile riamh roimhe.

Theip orthu: Níor éirigh leo. Ní raibh siad ábalta a dhéanamh.

Trealamh aerchóirithe: Trealamh a choinníonn muid fuar in aimsir the agus te in aimsir fhuar.

Uaimh shneachta: Poll a dhéanann an béar bán sa sneachta lena hóga a bhreith.

Ubh a ghoradh: Uibheacha a choinneáil te sula dtagann an t-éan óg amach.

Focal ón Údar

✳

Mar a fheiceann tú ón phictiúr is fearr liomsa bheith ag scíáil i Sléibhte Creagacha Colorado ná bheith ag taiscéaladh thart faoi na poil. Ach tá suim mhór agam san Artach agus in Antartaice. Tá meas an-mhór agam ar na daoine cróga, cliste, aclaí a théann ar cuairt ann. Bhain mé sult as an leabhar seo a scríobh agus ba bhreá liom, lá éigin, cuairt a thabhairt ar Antartaice agus ar an Artach.

Diana Short Yurkovic

Focal ón ghrianghrafadóir

Chaith mé trí shamhradh agus geimhreadh amháin in Antartaice ar shléibhte gan ainm agus ar oighearshruthanna nár shiúil duine ar bith riamh roimhe orthu. Thaistil mé gach ilcríoch ar domhan. Tá súil agam, agus tú ag léamh an leabhair seo, go dtuigfidh tú go gcaithfimid aire a thabhairt don domhan.

David Massam

Diana Short Yurkovic a scríobh
Léaráidí le **Steve Clark** (lgh. 4, 7, 10, 12, 29, 33); **John Hurford** (lgh. 14-15)
Grianghraif le **David Massam**
Grianghraif bhreise le **Hulton/Getty/Liaison Agency** (*Titanic*, lch. 11; bean Ionúiteach, lch. 12; diala
lch. 16; long san oighear, lch. 17; Roald Amundsen ag an Phol Theas, lch. 18; Robert Scott, lch.19; Jc
Franklin agus foireann, lch. 20; léarscáil, lch. 21; An tAimiréal Perry, lch. 22: An tAimiréal Perry agu
foireann, lch. 23); **Index Stock Imagery:** (masc, clúdach cúil agus lch. 5); Agliolo/Russell/Sunstar lg
42-43); Ernest Manewal (murúchaill, lch. 27; rón, lch. 31); Omni Photo (foireann carr sleamhnáin, lg
34-35); Volvox (piongainí, lgh. 24-25); John Warden (cráin dhubh, lch. 32); Stuart Westmorland (míc
mór, lch. 29; béir bhána, lch. 30); Zefa Picture Library (ioglú, lch. 13; madaí carr sleamhnáin, lch. 39
Anna Zuckerman-Vdovenko (piongain agus a hóg, clúdach cúil agus lch. 26)
Alison Auch a chuir in eagar
Liz Marken a dhear

© 1999 Shortland Publications

An leagan Gaeilge 2008
Arna fhoilsiú ag:
An tÁisaonad
Coláiste Ollscoile Naomh Muire
191, Bóthar na bhFál
Béal Feirste
BT12 6FE
Éire
Foireann an tionscadail: Pól Mac Fheilimidh, Jacqueline de Brún, Ciarán Ó Pronntaigh.
Áine Mhic Giolla Cheara, Risteard Mac Daibhéid, Alicia Nic Earáin, Máire Nic Giolla Cheara,
Fionntán Mac Giolla Chiaráin, Clár Ní Labhra agus Seán Fennell.

Arna chlóbhualadh ag Colorcraft

ISBN 978 0 732 74819 7